Pour

De la part de _____

**Autres livres de cette collection :**
Tu me manques
Pour mon mari
Mon grand amour
L'amour c'est pour toujours
Les frères
Les chatons
Bon appétit

© Helen Exley 1997

© Éditions Exley s.a. 1998
13, rue de Genval - B 1301 Bierges
Tél. + 32 (0) 2 654 05 02. Fax + 32 (0) 2 652 18 34

bureau parisien :
10, rue des Filles du Calvaire - F - 75003 Paris

ISBN 2-87388-122-4
Dépôt légal : D.7003/1997/24

12   11   10   9   8   7   6   5   4   3   2

# LES SŒURS...

CITATIONS CHOISIES PAR HELEN EXLEY

**EXLEY**

**PARIS - LONDRES**

... si nous écoutions les médias, nous pourrions croire que la seule relation importante dans notre vie est de nature romantique. Pourtant, le lien qui unit deux sœurs durera probablement plus longtemps que n'importe quel autre. Un mari va et vient, mais une sœur reste toujours à vos côtés. Elle force notre respect, pas pour des raisons futiles, comme le succès matériel, mais pour sa sensibilité et son bon sens.

JANE DOWDESWELL,
DANS «SŒURS À SŒURS»

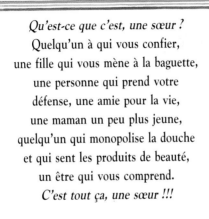

*Qu'est-ce que c'est, une sœur ?*
Quelqu'un à qui vous confier,
une fille qui vous mène à la baguette,
une personne qui prend votre
défense, une amie pour la vie,
une maman un peu plus jeune,
quelqu'un qui monopolise la douche
et qui sent les produits de beauté,
un être qui vous comprend.
*C'est tout ça, une sœur !!!*

LOUISE, 11 ANS

A l'intérieur comme à l'extérieur de la famille,
nos sœurs rehaussent notre miroir,
l'image de ce que nous sommes
et de ce que nous pouvons oser devenir.

ELIZABETH FISHEL,
DANS «LES SŒURS: AMOUR ET RIVALITÉ»

Tout au long de leur vie, les sœurs sont unies par
un lien spécial, qu'elles l'admettent ou non.
Pour le meilleur et pour le pire, des sœurs restent
des sœurs, jusqu'à ce que la mort les sépare.

BRIGID McCONVILLE, DANS «LES SŒURS:
AMOUR ET CONFLIT TOUTE LA VIE DURANT»

Quoi que vous fassiez, elles vous aimeront ; et même si elles ne vous aiment pas, le lien subsistera jusqu'à la mort. On peut se permettre d'être ennuyeux et même assommant avec ses sœurs, alors qu'avec ses amis, il faut se montrer sous un jour favorable.

DEBORAH MOGGACH

Frères et sœurs sont aussi proches que pieds et mains.

PROVERBE VIETNAMIEN

*Le désir d'être et d'avoir une sœur est primitif
et profond et peut n'être entièrement ou absolument
pas lié à la famille dans laquelle une femme est née.
C'est un désir de connaître et d'être connue par
quelqu'un qui vient du même corps et du même
sang, qui partage avec vous son histoire et ses rêves,
la même situation et les hasards de l'avenir,
les secrets les plus sombres et les perles de vérité
de la plus belle eau.*

ELIZABETH FISHEL,
DANS *«LES SŒURS: AMOUR ET RIVALITÉ»*

*J*'ai pu expérimenter avec toi un large éventail de sentiments allant de la complicité et la tendresse, à la jalousie et la colère, en passant par la joie et le rire.
Quelle merveilleuse initiation à la vie !
Avec toi j'ai appris à négocier, à résoudre les conflits, à exprimer mes sentiments...
Merci, sœurette.

CAROLINE RAMUZ

... mon rocher. Jamais une amie
ne m'aurait tant donné.

JESSICA MARTIN, 24 ANS

... la seule personne à qui je donnerais mon dernier bonbon.

HANNAH, 23 ANS

... elle compte sur moi, et je ne voudrais pas
qu'il en soit autrement.

JAYNE, 31 ANS

... ma confidente, ma meilleure amie, mon alliée.

JULIE, 32 ANS

... la seule personne qui me supportait,
me défendait, jouait avec moi,
toujours à mes côtés alors que les amis ne sont
souvent là que quand tout va bien.

SYLVIA, 63 ANS

... ma mémoire – elle fait revivre tous nos heureux
souvenirs d'enfance. Avec elle, je me sens
en sécurité, protégée.

MARIE, 76 ANS

Citations extraites de « *Sœurs à Sœurs* » de Jane Dowdeswell.

**M**aintenant, votre frère
se moque de vous ?
Mais, tous les frères se moquent
de leur sœur !
Il est jaloux que vous soyez mince,
parce que vous êtes élégante !
C'est tout. N'écoutez pas
ce qu'il dit, ou écoutez-le et riez-en.
Ne vous croyez pas une martyre
pour cela. Vous avez assez de cordes
à votre arc. Au revoir,
mademoiselle.

FRANÇOISE DOLTO,
« LORSQUE L'ENFANT PARAÎT »

*... Jamais nous ne retrouvâmes*

*le monde enfantin où nos deux âmes*

*se mêlaient comme les parfums*

*de différentes roses qui,*

*en se confondant, ne font plus*

*qu'un et perdent à tout jamais*

*leur odeur distincte.*

GEORGE ELIOT
(1819-1880),
DANS *« L'ÉCOLE NOUS SÉPARA »*

Tu n'imagines pas à quel point je suis attachée à toi. Quand tu n'es pas là, la vie est terne et sans joie, comme un jour sans soleil ; et c'est à peine si j'existe encore, indifférente à tout et si mal. C'est la pure vérité même si ce n'est pas une illustration très jolie de ma totale adoration pour toi. Je me languis de toi et ne souhaite rien d'autre que rester assise à te regarder, même sans dire un mot.

VIRGINIA WOOLF (1882-1941),
À VANESSA BELL

Nous avons partagé les mêmes parents, la même maison, les mêmes animaux domestiques, les mêmes fêtes, les mêmes catastrophes, nos secrets. Et les fils qui ont tissé nos expériences se sont à ce point entrelacés que nous sommes à jamais liées. Je ne me sens jamais seule au monde puisque je sais que nous vivons toutes deux sur la même planète. J'ai besoin d'avoir de tes nouvelles. J'ai besoin de savoir que tu es en sécurité. J'ai besoin de toi.

ODILE DORMEUIL

*Q*uand trois sœurs se vouent une affection si sincère, l'une d'entre elles ne peut connaître le chagrin, la douleur ou l'affliction sous quelque forme que ce soit sans que les autres, de tout cœur, souhaitent les dissiper et vibrent de tendresse. Comme un instrument de musique bien accordé.

ELIZABETH SHAW, *SŒUR D'ABIGAIL ADAMS ET DE MARY CRANCH*

*Les enfants
d'une même
mère*

*ne sont pas toujours
d'accord.*

PROVERBE NIGÉRIAN

*C'est lui qui m'a frappé au visage, Maman,*
*c'est pour ça que je l'ai frappé aussi.*

*C'est lui qui m'a frappé à la jambe, Maman,*
*c'est pour ça que je l'ai frappé aussi.*

*C'est lui qui m'a frappé dans le dos, Maman,*
*c'est pour ça que je l'ai frappé aussi.*

*C'est lui qui a commencé à se battre, Maman,*
*c'est pour ça que je me suis battue.*

*C'est lui qui a commencé, Maman,*
*c'est pour ça que j'ai continué.*

LESLEY MIRANDA

Peut-être sommes-nous des stars pour le public, mais
entre nous, nous ne nous considérons pas comme
telles. Nous sommes simplement des sœurs.
L'une fera toujours bien comprendre aux deux autres
qu'elles ne peuvent pas être stars sans elle.
Une sœur Beverley n'est rien.
Deux sœurs Beverley ne sont rien.
Mais à trois, elles sont des stars.
Lorsque nous sommes séparées, nous n'existons plus.

LES SŒURS BEVERLEY

Tout est bien dans le meilleur des mondes. Peut-être.
De l'extérieur. Mais les frères et sœurs sont plus
réalistes. Pour eux, une sœur, c'est une avalanche
de remarques, quelqu'un qui vous harcèle sans cesse,
des murmures et médisances. Des êtres corrompus.
Les coups. Les choses que l'on emprunte.
Les séparations. Les bisous et les câlins. Les choses
que l'on se prête. Les surprises. Quelqu'un qui prend
votre défense, des mots et gestes de réconfort.
Des bienvenues à la maison.

ANNELOU DUPUIS

*Tu avais beau te rebeller, rien n'y faisait.*
*Ils étaient sous ta responsabilité et personne ne*
*pouvait prendre ta place. Tu étais leur sœur.*
*Toute ta vie, les gens t'ont prise pour leur sœur,*
*car c'est ce que tu étais ou ce que tu étais*
*devenue : une grande sœur, toujours prête à venir*
*en aide aux autres, à qui tout le monde était*
*attaché et s'adressait, tant pour un devoir difficile*
*que pour ôter une écharde sous un ongle.*

WALLACE STEGNER

LES GRANDES SŒURS... sont susceptibles
de vous faire des remarques. De refuser de vous
prêter leurs affaires. De vous réprimander.
De vous faire marcher trop vite.
Mais elles peuvent aussi s'en prendre aux durs
de l'école et les faire fuir. Elles résolvent
les problèmes d'arithmétique et de tricot.
Quand elles grandissent, elles écoutent vos secrets
et vos soucis. Et elles ne les répètent à personne
sans votre consentement.
Une grande sœur est à la fois une amie et
quelqu'un qui prend votre défense, quelqu'un qui
vous écoute, une conspiratrice, une conseillère
et un être qui partage vos joies.
Et vos chagrins aussi.

UNE PETITE SŒUR... est un auxiliaire précieux dans la vie d'un garçon. Quelqu'un que l'on envoie en éclaireur pour tester les touffes d'herbe du marais. Quelqu'un qui sert de cobaye pour essayer luges et karts. Mais une petite sœur, c'est avant tout quelqu'un qui a besoin de vous et qui vient vers vous lorsqu'elle s'est cogné la tête, écorché le genou ou a été importunée...
Quelqu'un qui compte sur vous pour que vous la défendiez.
Quelqu'un qui pense que vous avez réponse à tout.

ODILE DORMEUIL

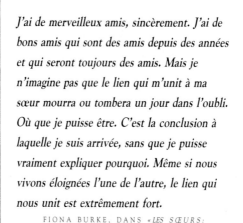

J'ai de merveilleux amis, sincèrement. J'ai de bons amis qui sont des amis depuis des années et qui seront toujours des amis. Mais je n'imagine pas que le lien qui m'unit à ma sœur mourra ou tombera un jour dans l'oubli. Où que je puisse être. C'est la conclusion à laquelle je suis arrivée, sans que je puisse vraiment expliquer pourquoi. Même si nous vivons éloignées l'une de l'autre, le lien qui nous unit est extrêmement fort.

FIONA BURKE, DANS *«LES SŒURS: AMOUR ET CONFLIT TOUTE LA VIE DURANT»*

*L*a plupart des relations amicales, amoureuses ou conjugales nécessitent des contacts plus ou moins réguliers pour subsister. Quand une année ou plus passe sans recevoir de nouvelles d'amis, les gens ont tendance à dire que l'on a « perdu le contact ». Si, dans un couple, chacun prend ses vacances séparément, les sourcils se froncent : la plupart des membres d'une famille attendent un coup de téléphone ou au moins une carte pour Noël.

Mais la relation qui unit deux sœurs semble une exception remarquable : pour beaucoup de sœurs, le lien qui s'est noué

pendant l'enfance est non seulement durable, mais c'est
à peine s'il demande de l'attention dans les formes.
Quel que soit le temps qui passe et malgré les nombreux
kilomètres qui les séparent, pendant leur vie adulte,
en général, les sœurs ne considèrent pas qu'elles ont
« perdu le contact ».

BRIGID McCONVILLE, DANS *«LES SŒURS:
AMOUR ET CONFLIT TOUTE LA VIE DURANT»*

Un frère ou une sœur est un autre enfant
qui vit dans la maison de maman et papa.
Tu ne l'aimeras pas et il ou elle ne t'aimera
pas. Mais essaie tout de même de t'en faire
un(e) ami(e). Cela rétablira l'équilibre lors
de désaccords avec les parents.

ROBERT PAUL

J'aurais pu voir plus d'Amérique quand j'étais
enfant si je n'avais pas perdu tant de temps
à protéger ma moitié du siège arrière
des incursions de ma sœur Sukey.

CALVIN

*Benoîte, je t'aime pour toi-même, avec ta tête et tes pensées d'aujourd'hui. Mais je t'aime surtout, il me faut l'avouer, parce que tu as voyagé avec moi à travers mon enfance. Tu es une pièce maîtresse, un des mots clés de mon passé. Je te retrouve à tous les coins de mon souvenir. Tu n'as pas besoin d'avoir de mémoire, j'en ai pour toi : je suis la bibliothécaire, la trésorière de notre enfance.*

FLORA GROULT,
DANS «*JOURNAL À QUATRE MAINS*»

Mon amour pour Flora a été le grand sentiment de mon enfance. Je l'estimais, je la jalousais, j'aimais l'embrasser, la serrer et je cherchais à lui nuire. Comme j'avais quatre ans de plus qu'elle et la chance qu'elle soit vulnérable, j'ai souvent eu l'occasion de la torturer, ce qui m'a laissé une exquise saveur que je n'ai jamais retrouvée.

BENOÎTE GROULT,
DANS *«JOURNAL À QUATRE MAINS»*

Votre sœur est… la personne que vous connaîtrez probablement plus longtemps qu'aucune autre. Qu'elle soit une force pour vous, une présence vitale, votre meilleure amie ou votre pire ennemie, cela dépend de la sœur ! Pendant votre enfance, une sœur peut être une compagne de jeu toute faite. Pendant l'adolescence, elle sera votre conseillère. Quand vous serez maman, elle deviendra automatiquement une tante et une baby-sitter de bonne volonté. Et quand vous serez vieille, elle sera la personne que toutes vos histoires du « bon vieux temps » n'ennuyeront pas.

JANE DOWDESWELL,
DANS «SŒURS À SŒURS»

*Merci d'avoir essayé de m'éviter des problèmes, de m'avoir lavée quand je suis tombée dans la bouse de vache, de m'avoir essuyée quand j'ai suivi les canards dans l'étang, de m'avoir prise dans tes bras pour m'aider à redescendre du chêne dans lequel j'étais bloquée, d'avoir recousu la veste que j'avais déchirée en passant à travers des fils barbelés, d'avoir séché le livre que maman m'avait défendu de lire dans le bain. Bien sûr, elle a toujours tout découvert. Mais merci d'avoir essayé.*

ODILE DORMEUIL

*La jalousie et l'amour sont sœurs.*

PROVERBE RUSSE

*Les grandes sœurs sont les mauvaises
herbes dans le gazon de la vie.*

CHARLES SCHULZ, NÉ EN 1922

*Les deux dames entrèrent
dans le salon, et l'on sentit
toute la ferveur de l'animosité
qui peut exister entre sœurs.*

ROBERT SMITH SURTEES (1803-1864),
DANS «MR. SPONGE FAIT DU SPORT»

*On peut essayer de faire marcher
le monde entier,
mais pas sa sœur.*

CHARLOTTE GRANIER

*Si ma sœur
sort en coup de vent sans
m'adresser un seul regard,
c'est qu'elle a mis mon
plus beau pull...*

LISA ROCHAMBEAU-LAPIERRE

*Une sœur est un remède efficace contre la grosse tête et la vanité. On peut être star, directeur, célèbre, riche et beau, une sœur possède l'album de photos de la famille. Et une très, très bonne mémoire. Et elle a aussi tendance à vous envoyer des clins d'œil dans les Grandes Occasions.*

ANNELOU DUPUIS

*La* connaissance que nous avons l'une de l'autre est intuitive et muette, de sorte que lorsque je pense à mes sœurs, je sais quelque chose d'essentiel sur chacune d'elles que je ne pourrais jamais décrire à un étranger. C'est comme si j'avais un sixième sens ou que je percevais leur aura.

BRIGID McCONVILLE,
DANS  «SŒURS: AMOUR ET CONFLIT
TOUTE LA VIE DURANT»

Comment pourrais-je être jalouse d'elle ?
Elle partage tout ce qu'elle possède avec
moi. J'ai été frappée par une maladie très
grave juste au moment où elle commençait à
réussir à la télévision. Je sortais à peine du
coma lorsqu'elle me rendit visite à l'hôpital.
Elle se pencha au-dessus de mon lit et
chuchota « Ma petite Mich, ma petite Mich,
ne te fais pas de soucis. Où que j'aille,
je prendrai soin de toi. » Et elle a tenu parole.

MICHIE NADER

Il n'y a pas de meilleure amie qu'une sœur,

Dans le calme ou la tempête ;

Pour redonner courage quand l'ennui vous gagne,

Pour ramener les égarés,

Pour relever ceux qui sont tombés,

Pour vous donner confiance dans vos pas.

CHRISTINA ROSSETTI (1830-1894),
DANS «LE MARCHÉ DE GOBLIN»

Jamais on n'entendait une discussion entre Camille et Madeleine. Tantôt l'une, tantôt l'autre cédait au désir exprimé par sa sœur. La différence de leurs goûts n'empêchait pas leur excellente union. Elles étaient parfaitement heureuses, ces deux petites sœurs, et leur maman les aimait tendrement.

LA COMTESSE DE SÉGUR, DANS *«LES PETITES FILLES MODÈLES»*

Maintenant que je ne suis plus avec toi, je ne peux nier que j'ai non seulement le sentiment d'être privée d'une sœur qui m'est très chère, mais que j'ai également perdu une moitié de moi-même.

BÉATRICE D'ESTE,
*DANS UNE LETTRE À SA SŒUR ISABELLA*

Nos sœurs sont nos pairs,
la voix de nos temps.

ÉLIZABETH FISHEL

J'ai véritablement perdu un trésor, une Sœur comme elle, une amie comme elle, que personne n'a jamais pu surpasser. Elle était le soleil de ma vie, l'or de toutes les joies, elle consolait tous les chagrins, je ne lui cachais aucune de mes pensées. C'est comme si j'avais perdu une partie de moi-même. Je l'ai trop aimée, pas plus qu'elle ne le méritait, mais je suis consciente que mon affection pour elle me rendait parfois injuste et négligente envers les autres.

CASSANDRA AUSTEN À FANNY KNIGHT, DANS *«LETTRES»*

Une sœur représente tant de choses.
Elle peut vous faire rire, vous rendre
furieuse, vous voler votre premier petit
ami, vous donner votre première nièce.
Une partie de vous tentera toujours de
préserver votre propre personnalité,
mais l'autre partie éprouvera le besoin
d'être proche d'elle et de cultiver
un sens exclusif de sécurité.

JANE DOWDESWELL,
DANS «SŒURS À SŒURS»

*Les sœurs vous font revivre votre passé. A mesure que vous vieillissez, elles sont les seules personnes qui ne trouvent pas vos souvenirs ennuyeux. C'est comme si vous étiez allé en Inde et que vous rencontriez quelqu'un qui y est allé aussi ; vous pouvez en parler pendant des heures. Tous les autres trouvent ça ennuyeux alors que vous êtes totalement captivés par la conversation. Entre sœurs, c'est pareil.*

DEBORAH MOGGACH, NÉE EN 1948

Les éditeurs remercient pour l'autorisation de reproduire leurs textes
FIONA BURKE : extrait de « Sisters : Love and Conflict Within the
Lifelong Bond » publié par Pan Books, une division de Pan Macmillan
Ltd., © 1985 Brigid McConville ; JANE DOWDESWELL : extrait de
« Sisters on Sisters » publié par Grapevine/Thorsons, une division de
Harper Collins Publishers Ltd., 1988 ; ELIZABETH FISHEL : extrait
de « Sisters : Love and Rivalry Inside the Family and Beyond », 1979
BRIGID McCONVILLE : extraits de « Sisters : Love and Conflict
Within the Lifelong Bond », publié par Pan Books, une division de Pan
Macmillan Ltd., © 1985 Brigid McConville, reproduit avec la permission
de Sheil Land Associates. LESLEY MIRANDA : « Don't Hit Your Sis-
ter » tiré de « Black Poetry », compilation de Grace Nichols, publié par
Blackie, 1988 ; VIRGINIA WOOLF : extrait de « The Letters of Virginia
Woolf », publié par Harcourt Brace, © 1976 Quentin Bell et Angelica
Garnett ; © Éditions Denoël : extraits de « Journal à quatre mains »
Benoîte et Flora Groult.

Les éditeurs remercient également les personnes et organisations suivantes
pour l'autorisation de reproduire leurs images : Archiv für Kunst (AKG)
Art Resource (AR), Bulloz (BU), Bridgeman Art Library (BAL), Edime-
dia (EDM), Fine Art Photographic Library (FAP). Page de couverture
Georg Buchner, *Jeune fille en costume paysan*, collection privée, EDM
Page de titre : Konstantin Alexejewitsch Korowin, *Une fenêtre ouverte*
Tretjakow Gallery, Moscow, AKG ; page 7 : Gustav Klimt, *Amis*, Wel-